Petites Enquêtes trop chouettes !

Sami et Julie et le voleur de crêpes

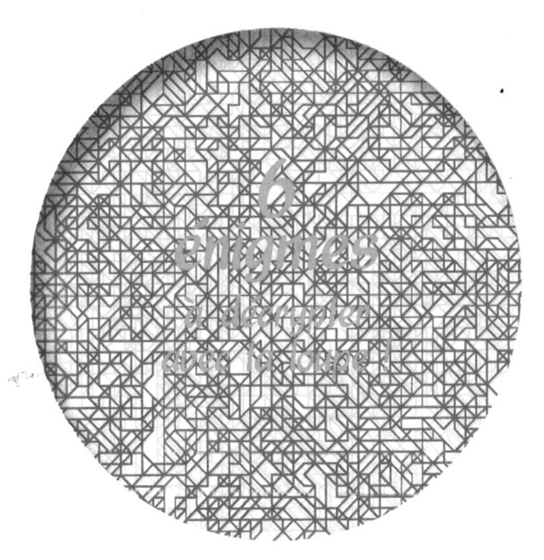

Texte : Emmanuelle Massonaud

Illustratrice : Thérèse Bonté

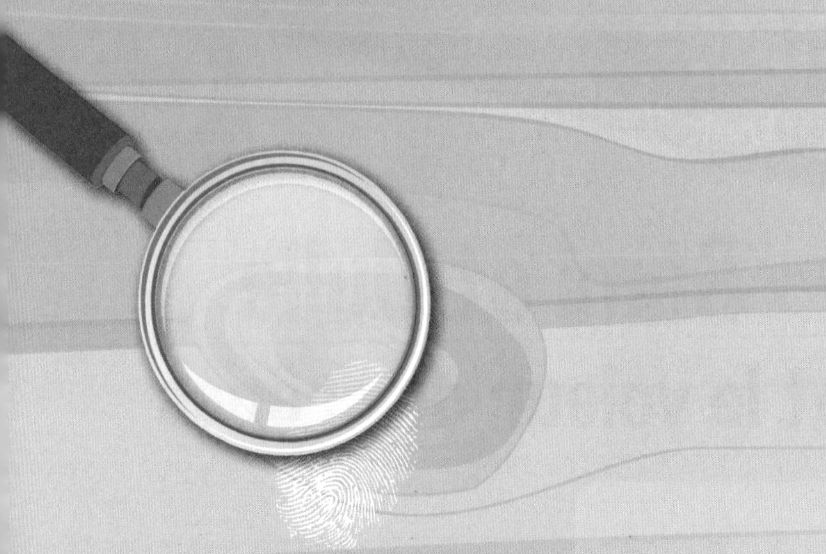

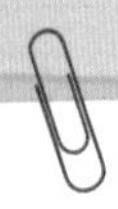

Maquette de couverture : Mélissa Chalot
Réalisation de la couverture : Sylvie Fécamp
Maquette intérieure : Mélissa Chalot
Réalisation de l'intérieur : Audrey Izern
Relecture ortho-typo : Jean-Pierre Leblan
Édition : Laurence Lesbre
Crédit des images : fond matière bois, punaises, boussole, stylo, trombone, crayon (© shutterstock)
ISBN : 978-2-01-395044-2

58 rue Jean-Bleuzen, CS 70007, 92178 Vanves Cedex.
www.hachette-education.com

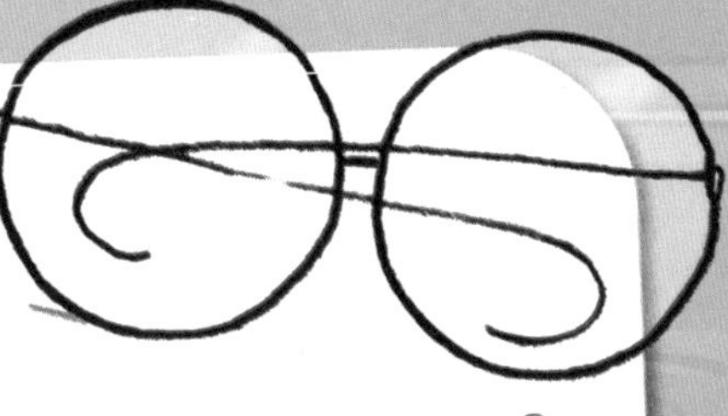

Sommaire

Sami a 6 ans,
il a toujours plein d'idées,
il est malin et gourmand !

Léo est dans la même classe
que Sami. Il n'est jamais content
et il n'aime pas grand-chose…
à part les crêpes peut-être ?

Tom est le meilleur ami
de Sami. Il est toujours prêt
à l'aider et il est très optimiste !

Julie a 7 ans ;
c'est la grande sœur
de Sami. Elle adore
son petit frère !

Léna est la meilleure
amie de Julie. Elles sont
dans la même classe.
Elle arrive toujours
en retard !

Mathieu est dans la classe
de Julie et de Léna. Il est très
fort en maths. Il est un peu
amoureux de Julie, mais chut…

Et de 30 !
Parfait, je suis
dans les temps.

Les jus de fruits sont au frais. Tout est prêt ! Je file…
SOD

Ne vous inquiétez pas, je rentre vers 15 heures pour finir de préparer le goûter. Papa

Prends ta loupe et lis le message que Papa a laissé sur la table.
quiétez pas, je rentre vers
15 heures pour finir de prépar
le goûter.
Papa

Bonjour, monsieur Raymond !
Bonjour ! Vous vous souvenez que…

C’est aujourd’hui que…
Tout à l’heure – je suis pressé – tout à l’heure !

Bah ! Ce n’est pas grave…

Salut!
OUAH! OUAH!
Salut!

Avec Léo, on a déjà tout préparé pour jouer!
Il ne manque plus que Léna!

Elle est toujours en retard…
Tant pis ! On commence sans elle.

C'est chez moi, Tom ! Ça va te coûter cher !
J'en connais un qui va gagner…
Il m'énerve !

Une heure plus tard.
Ça va, les enfants ? Tout se passe bien ?
C'est quand, l'heure du goûter ?
Ouiiii !!!
20
50
20
50
20
20
50

Ce sera prêt dans 5 minutes !
Je vais faire réchauffer les crêpes.
Des crêpes ! Des crêpes !
Ouais !

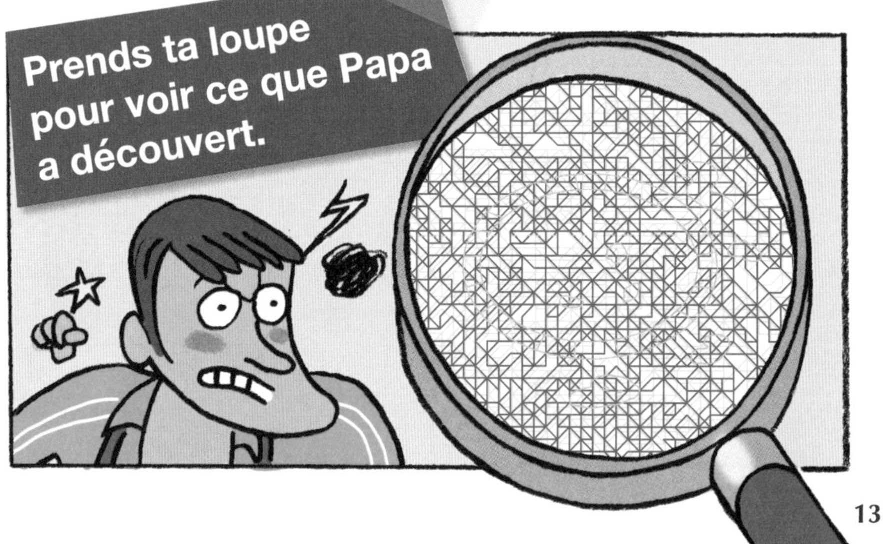
Prends ta loupe pour voir ce que Papa a découvert.

SAMI ET JULIE !
Je vous avais interdit de toucher aux crêpes !!!

Mais, Papa, on n'a touché à rien…
Promis, juré !

Les crêpes, là!
Elles ne se sont pas
volatilisées tout de même!
En rentrant de l'école,
on est allés dans
nos chambres…
Directement?
Oui! Directement!
Directement!
Pour faire
nos devoirs!

On savait que les copains allaient arriver.
C'est vrai ! Ce n'est pas nous !
Bien sûr, bien sûr.

Et quand ils sont arrivés, on a commencé à jouer.
Illico !

Oh, oui ! *Illico, presto* !
Je vous crois, les enfants, je vous crois…
Mais alors… Qui a bien pu voler les crêpes ?

Il faut éclaircir ce mystère !

Les crêpes étaient dans la cuisine.
Oui ! dans la cuisine.
Personne n'est entré, personne n'est sorti !
Non, personne.

En attendant que votre enquête avance, prenez le goûter !
Je n'ai plus que ça à vous offrir ; désolé !

Je rappelle que Léna est arrivée en retard !!!
Oui ! En retard !
Z
Z
Sami ! Tu dis n'importe quoi ! Moi, je ne vois pas le rapport !

Moi non plus !

Tu avais chaud
en arrivant et tu as bu
un verre d'eau !
Et où as-tu bu
ton verre d'eau ?
Dans
la cuisine !
?!

eau
Et tu as mangé les crêpes !
En toute tranquillité !

NON, MAIS ÇA NE VA PAS ?
Vous me voyez manger
un énorme tas de crêpes !!!

Et puis, en plus, je n'aime pas
trop les crêpes…
C'est vrai ! Elle préfère
les galettes.

Dis donc, Léo,
ça te va bien d'accuser
ma copine !

Tu as perdu rapidement
et tu as quitté la partie
avant les autres !
Oui… Euh… Je…
Et tu t'es absenté
un long moment !

Eh ben, alors !
Si on n'a même plus
le droit de faire pipi !

En revenant, tu es
passé par la cuisine,
me semble-t-il ?
Oui ! Tu es réapparu
par la cuisine :
j'en suis certaine !

Et forcément, tu étais seul dans la cuisine !
Et là, tu as mangé les crêpes ! **AVOUE !**

Prends ta loupe et lis la réponse de Léo.

C'est tout ?
Je le jure ! Rien qu'une toute petite !

Et qu'est-ce qui nous le prouve ?
C'est vrai ça !
Léo ne ment pas ! J'avais fait 30 crêpes !

Papa avait préparé 30 crêpes. À ton avis, si elles n'avaient pas été volées, combien de crêpes chaque enfant aurait-il pu manger au goûter ?

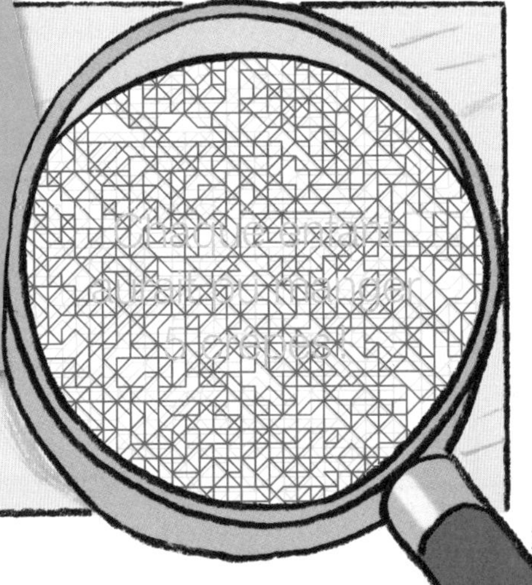

Un peu plus tard.
Au revoir, les amis! On vous racontera!
On va bien finir par démasquer ce voleur de crêpes!

Bonsoir, Julie. Tiens, c'est la clé du laveur de carreaux pour ton papa!
Merci beaucoup ; au revoir.

Les enfants, je suis désolé : cette Chandeleur est complètement ratée !
Ce n’est pas grave, Papa.

Tiens, Papa, c’est la clé du laveur de carreaux.
Quel laveur de carreaux ? Je ne comprends rien !
Ne bouge pas ! On va éclaircir ce mystère !

… et donc votre maman m’avait laissé sa clé pour le laveur de carreaux ! Il est passé chez vous, ce matin, vers 11 heures.
À 11 heures précises ?
M. RAYMOND
Oui. J’ai essayé de le dire à votre Papa, mais il était si pressé…

Et où est-il, maintenant, ce laveur de carreaux ?
Il est dans l'immeuble d'en face. Pourquoi : il y a un problème ?
M. RAYMOND
On vous tiendra au courant. Nous sommes en pleine enquête !

Eh bien, voilà ! On le tient enfin, notre voleur de crêpes !
?

Dites donc, monsieur !

Auriez-vous des enfants amateurs de crêpes ?
Bien sûr, ma p'tite dame, que mes enfants aiment les crêpes !

Et à 11 heures, très exactement, vous étiez bien dans la cuisine de l'immeuble d'en face ?
Oui ; et alors ?

TOUT EST CLAIR ! Vous avez volé les crêpes de notre goûter !!!
Oui ! Pour vos enfants !!!

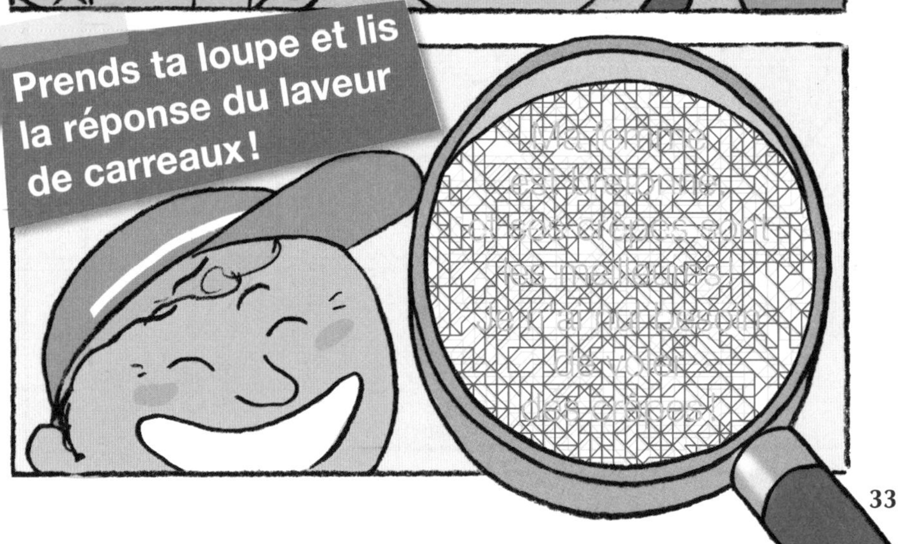
Prends ta loupe et lis la réponse du laveur de carreaux !

Oh, pardon, monsieur !
On ne savait pas pour votre femme !

Y a pas d'mal, les p'tits amis !
Et désolé pour vos crêpes !

Alors, cette enquête ? Ça avance ?
Pas du tout ! On n'a plus aucun suspect !

C'est incompréhensible!
30 crêpes! Pfuiiit!
VO-LA-TI-LI-SÉES!
On a cru que
le voleur c'était Léo.
Ce n'était pas Léo…
Ni Léna ni le laveur de carreaux!
En gros : ce n'est personne!
ZZZ

Votre histoire n'a ni queue ni tête ! Quelque chose a dû vous échapper !

Ce qui nous a échappé, c'est une pile de crêpes, oui !
AH AH ! AH AH
AH
AH

Tiens, mon chien !
TOBI

Hé, Tobi !
Tu ne manges pas ce soir ?
Z Z
Z Z
Z
TOBI

Maman ?
Tu crois qu'il est malade ?
Non…
Il a la truffe fraîche :
c'est que tout va bien.

Prends ta loupe pour lire ce que dis Julie !

Un chien mangeur de crêpes!
N'importe quoi!

Un chien mangeur de crêpes!
Oui, monsieur! Je le prouverai…

Le lendemain.
Tu as élucidé le mystère des crêpes envolées ?
J'ai un suspect ; je t'expliquerai !
ECOLE

Salut ! À demain…
Je te laisse : je dois boucler mon enquête !

Bonjour…
Une crêpe au sucre,
s'il vous plaît !
BOULANGERIE
PHARMAC

Tu es bien réveillé aujourd'hui ;
ça tombe bien !
OUAH
OUAH

Démonstration !

Et voilà notre voleur
confondu !

Mon chien adore
les crêpes !
Incroyable !
Il en a tout de
même mangé 29 !
Quel glouton !

Le mercredi suivant.
QUI VEUT LA PROCHAINE CRÊPE ?
Moi !
Tu me passes la confiture, s'il te plaît ?
MUTELLA
Moi, je préfère les crêpes au sucre…

Moi!
Mmm! Miam!
MIEL
SUCRE
Miam! Finalement, ch'est trop bon!

Achevé d'imprimer en Roumanie par G. Canale - Dépôt légal : 03/2016 - Édition 01 - 66/7684/6